The Walt Disney Company Italia S.p.A.
Via Sandro Sandri, 1 - Milano
Basato sulle storie di Winnie the Pooh
di A.A. Milne e E.H. Shepard
Testo originale di Johnny Zeuthen
Testo italiano di Augusto Macchetto
Illustrazioni di Atelier Philippe Harchy
Editing: Epierre - Milano
Stampato da Arti Grafiche Canale - Borgaro Torinese (TO)

Disney

Cresci con Winnie the Pooh

MANGIARE

The Walt Disney Company Italia S.p.A.

• L I B R I •

DICE IL GUFO UFFA...

TU CHE COSA PREFERISCI MANGIARE?
BE', A POOH PIACE TANTISSIMO IL MIELE,
MENTRE I SUOI AMICI SONO GHIOTTI
DI ALTRI CIBI, MOLTO DIVERSI. C'È CHI
AMA I SAPORI DOLCI, CHI QUELLI SALATI...
COME DICEVA MIO ZIO GUFO TORBETT
"È IMPORTANTE QUELLO CHE MANGI, MA
È IMPORTANTE ANCHE CHE GUSTO HA!"
SU, ANDIAMO A SCOPRIRE CHE COSA PIACE
A TIGRO, PIMPI, RO E A TUTTI GLI ALTRI!

A IH-OH PIACE LA TERRA, CHE È
APPICCICOSA E NON HA UN BUON ODORE?

NO, A IH-OH PIACCIONO I CARDI:
CRESCONO NELLA TERRA, MA SONO
SAPORITI E STUZZICANTI.

A POOH PIACE IL SUO BERRETTO DA NOTTE,
CHE È RUVIDO E SA DI STOFFA?

NO, A POOH PIACE IL MIELE, CHE È MORBIDO DA TOCCARE E DOLCE DOLCE.

A TAPPO PIACE IL GUSTO AMARO DEL SUO ANNAFFIATOIO DI METALLO?

NO, CON L'ANNAFFIATOIO HA DATO L'ACQUA ALLE CAROTE, PER POTERLE MANGIARE FRESCHE E CROCCANTI.

A RO PIACE IL SAPORE DEI PEZZI DEL
SUO PUZZLE, CHE SANNO DI CARTONE?

NO, RO PREFERISCE LE MELE, SOPRATTUTTO QUELLE UN PO' ACIDINE.

A PIMPI PIACE LO STRANO GUSTO DEI SUOI PALLONI DI GOMMA?

NO, PIMPI PREFERISCE LE GHIANDE. SONO UN PO' AMARE, MA A LUI PIACCIONO COSÌ.

A TIGRO PIACE IL GUSTO DEL SUO PUPAZZO DI PELO, CHE SA DI POCO E GLI PIZZICA I BAFFI?

NO, A TIGRO PIACE LA MINESTRA
CALDA E SALATA QUANTO BASTA!

A MAMMA CANGU PIACE IL SAPORE DELLE MOLLETTE CHE USA PER STENDERE?

NO, A LEI E A TUTTI I SUOI AMICI PIACE
IL GUSTO DEI BISCOTTI APPENA SFORNATI.
BUON APPETITO!